劉福春・李怡 主編

# 民國文學珍稀文獻集成

## 第二輯

## 新詩舊集影印叢編　第69冊

【臧亦蘧卷】

# 弦響

北京：北京英華教育用品公司 1925 年 5 月版

臧亦蘧　著

# 霜

青島：青島書店 1931 年 8 月初版

臧亦蘧 著

花木蘭文化事業有限公司

國家圖書館出版品預行編目資料

弦響／霜／臧亦蘧 著 — 初版 — 新北市：花木蘭文化事業有限公司，2017〔民106〕

96面／144面；19×26公分

（民國文學珍稀文獻集成・第二輯・新詩舊集影印叢編 第69冊）

ISBN 978-986-485-151-5（套書精裝）

831.8 106013764

ISBN-978-986-485-151-5

9789864851515

民國文學珍稀文獻集成・第二輯・新詩舊集影印叢編（51-85冊）

第69冊

# 弦響
# 霜

著　　者　臧亦蘧
主　　編　劉福春、李怡
企　　劃　首都師範大學中國詩歌研究中心
　　　　　北京師範大學民國歷史文化與文學研究中心
　　　　　（臺灣）政治大學民國歷史文化與文學研究中心
總 編 輯　杜潔祥
副總編輯　楊嘉樂
編　　輯　許郁翎、王筑　美術編輯　陳逸婷
出　　版　花木蘭文化事業有限公司
社　　長　高小娟
聯絡地址　235 新北市中和區中安街七二號十三樓
　　　　　電話：02-2923-1455／傳真：02-2923-1452
網　　址　http://www.huamulan.tw 信箱 hml 810518@gmail.com
印　　刷　普羅文化出版廣告事業
初　　版　2017年9月
定　　價　第二輯51-85冊（精裝）新台幣88,000元

# 弦響

臧亦蘧 著

臧亦蘧（1903～1946），原名臧瑗望，生於山東諸城。

北京英華教育用品公司一九二五年五月出版。原書三十二開。

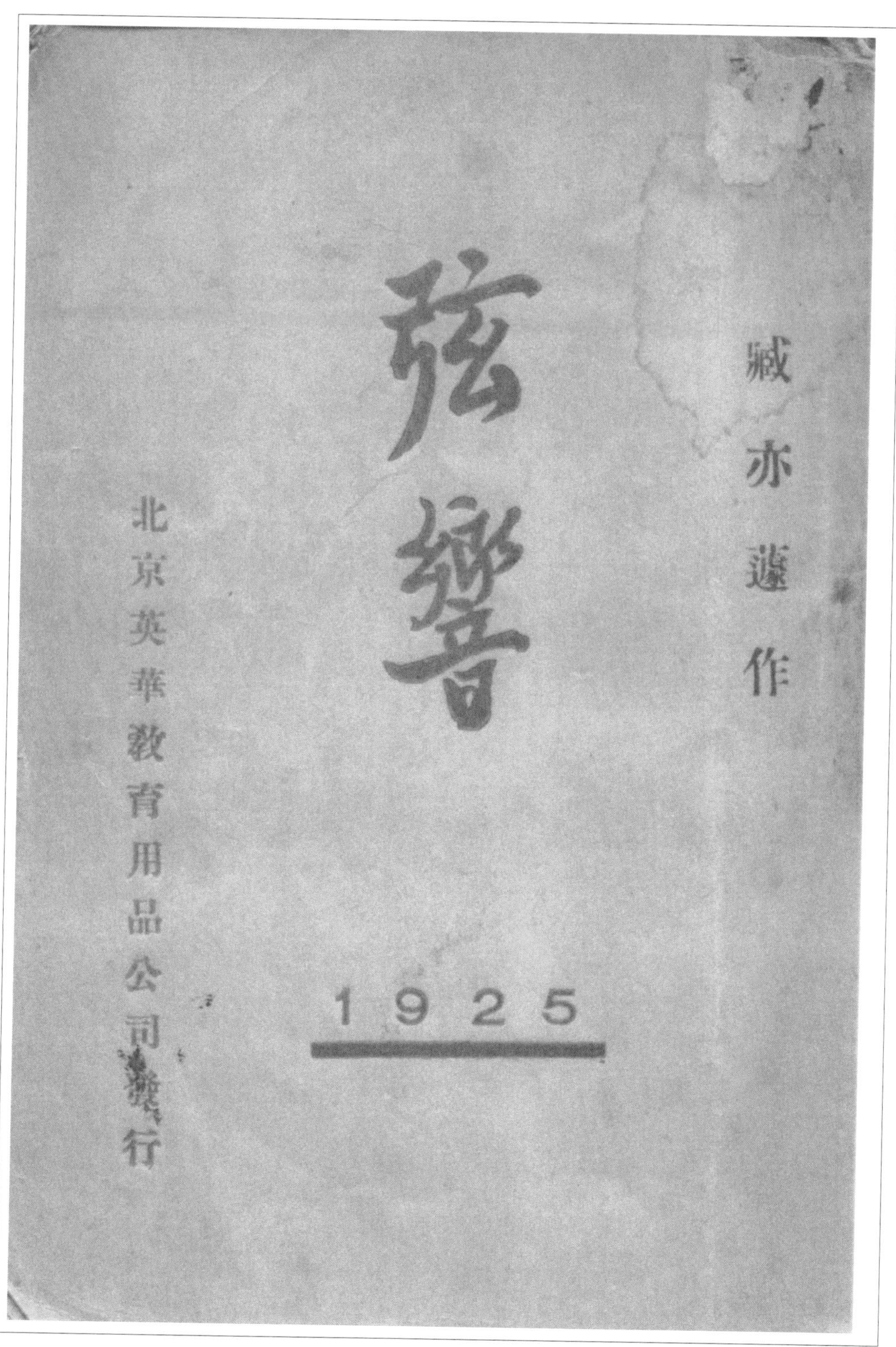
臧亦蘧作
弦響
1925
北京英華教育用品公司發行

# 弦響目錄

# 目錄

目錄

目錄



四

## 穿黃衣的警察

如花如玉的一位女郎，
坐在東洋車上，
飄飄的從前面瞥過了。
穿黃衣的警察，
立在公署門口，
銳利的目光
陡隨着車子飛去！
車漸遠了，——更遠了。
霎時不可見了，
他依然是一動也不動的，
只是悵惘，…………
沈思。…………

——十三年，六月。

## 女性的笑

（一）

有趣的異性同胞們，
彼此見了面，

弦　響

往往好惹笑。
聽不上几分鐘，
就嘻嘻哈哈的進行了。
清脆嬌柔！
婉轉美妙！
一俯一仰的，
教她纖腰彎了。
祇使我這旁聽的人，
心弦緊張，
靈魂出竅！

二

不知陪着她們笑的好，
還是向着她們哭的好！

（二）

我本着十二分的眞誠，
萬分的戀戀，
急要拜伏在她們面前，
大家一同笑到老！
又恐怕她們故意收顏，
霽容陡變，
使我受不了！

唉！眞不如意啊！
我待怎麼好？

——六月

## 幽秘的微笑

一位奇特的西洋女郎，
坐在青草地上，
手執着畫筆，
面對着湖光，
正從容不迫的，
在那裏輕摹淡描。
剛繪了几筆，
她的手忽停了；
眼睛閉了：
嬌嫩的臉上，
深現出幽秘的微笑。

——六，二十五。

## 老乞人

一個老頭子，

## 弦響

背着破布包，
蹣跚蹣跚的，
去向人家行乞。
手裏拿着四弦琴，
一到門口，
就吱吱的照例響起來。
在一家大紅的門外邊，
適有兩個可愛的小孩子，
對着他笑迷迷的呆看，
他更搖着禿頭，得意洋洋的，

四

拉得愈加起勁！
這時裏邊出來了一個僕人，
給了他不少的東西；
他却一聲不響的，
頹然喪氣的走了！

——六，二十五。

## 小兒女

她聽說她表弟病了，
就很匆匆的來看他。

及至見了面，
默默的不發一語！
僅是臉上的模樣怪可憐的，
向着她心愛的表弟弟，
倉惶！…………………
無着！…………………
最後他對她笑了，
她又忽然手掩着臉，
嗚咽的啜泣起來；
然而仍然是不能發一語！

弦　響

——六，二十五．

## 回家

我自外邊回到家中，
剛進門口，
猛見着小弟弟站在那裏，
正和小狗跳躍．
他見了我，
一切全不顧了！
飛也似的跑向裏去，

你看我長的多麼高?

——六,二十六。

## 六

# 洋車夫

有一三十多歲的洋車夫,
拉着位漂亮的女郎,
颼颼的飛跑!
不多時,
汗珠滴滴下了;
粗氣吁吁喘了;

急急的和我母親說道:
母親!
咱哥哥來了!
同時我也走到母親面前,
看着母親笑了,
我也就跟着笑了。
他傍在我的身邊,
兩手抱着我的腰,
笑迷迷的向我說:
哥哥!

他仍是連跑帶跳的，
似乎高興的不了！
好奇怪！
不走近路，
他却故意走遠道！
拉來拉去，
仍然出不了几條馬道！
女郎着急說：
為什麼還沒到？
車夫歪頭向她說：

弦　響

不遠了，我這不是快着跑？
剛一轉彎，
驀地裏車夫倒了！
回頭來跪着女郎，
在地上極悲憤地哭道：
像我這種人啊，
倒不如死了好！

——六，二十六。

## 畫家

## 弦響

魁偉的大樹底下，
坐着一位畫家，
他正從雪白的紙上，
笑迷迷的畫美人。
猛聽得後邊有人笑了！
他回頭見一位女郎，
同一位盛裝的男子，
手挽着手兒，
正在那裏甜蜜的說笑。
他頓時顏色蒼白，

八

手拿抖顫，
止不住的淚浪滔滔！
女郎却一睬也不睬他的，
笑向那位男子說：
今天天氣眞好！

——六，二十七。

## 贈SB

（一）

旁人看我穿着破衣服，

蔑視的目光，
壓不住的發現了，
有的人雖故意的裝僞，
却是口裏不說心裏笑。
我困危不堪的時候，
他人都冷眼看我的熱鬧！
獨有你這至誠人，
熱血騰騰的溫存我，
不管要求安慰擁抱！
哦！

弦　響

你眞是不可得的朋友啊！
犧牲了自己，
盡心把人家成全好。
說到此處，
我的淚撲簌簌止不住了！

（二）

我想在世界上，
建築一座最偉大的花園，
廣植些最美麗的花草。
叫牠們每一株兒，

弦　響

都能解除我們的煩惱。
待到我努力成功時，
我們再前來安慰擁抱！
你的沈悶的病，
或者我能以給你解除了。

——六，二十八。

## 姪女們

放假回家，
去見了我的大嫂。

十

三個姪女兒，
都出來向我問好。
大嫂問我道：
張某的學生，
到底是怎樣的人，
你知道不知道？
我卽刻拍手道好！
二姪女臉却緋紅的走了！
大姪女無精打采的，
站在桌邊，

像把靈魂失掉！
小姪女跳了一跳，
急忙跑向她的二姊道：
你再出來細聽聽，
到底他有多麼好；
為什麼一見人開口，
就羞得往裏跑？

——六，二十九．

## 小姊妹

弦 響

兩個小姊妹，
手挽着手兒，
笑迷迷的，
正在街上行走．
一隻小狗跑來了，
小妹妹跳了一跳！
看見小花開在牆縫裏，
小妹妹又跳了一跳！
跳來跳去，
跳得她小姊姊不耐煩了！

弦響

故意的咕着嘴唇向她道：
你要忽然間跳什麼跳？
小妹妹笑向姊姊說：
這真叫我作難了，
我自己又那能知道？

——七，三。

## 他竟死了

他病重了！
過有人到他面前，

十二

他常執着人的手不放。
待到他昏暈了，
才可以從他的手中，取出旁人的手來。
他醒來不見手了！
更不見人了！
就極悲哀的哭道：
我終不願和我親愛的人們，
無情的死別啊！，
孰知上天不容他，
他竟死了！

人們將他釘在棺裏，
埋在土的深處！
常常和他相伴的：
只有蔥鬱的荒草，
和叫得極悽慘的土虫子！

## 不知趣的小狗

她臉上嘻嘻的笑着，
將小狗抱到天井裏，
同着他密語。
她眞
不知趣的
卻急急的往後跑：
她也就跟着走了！
及至她再將他抱到天井裏，
他仍急急的往後跑：
她又跟着走了！
噯！塊塊的麵包，
拍拍地落在地上了！

弦響

十三

弦　響

她抱着小狗又走來，
小狗陡然急急的往下跳！
她含着奇異的目光。
向東鄰一瞧！
又猛然低下頭來，
怒聲說道：
你是我可愛的小狗啊！
不要吃這些東西才好！

——七，十三。

十四

## 公園所見

紅白翠綠，
花香鳥語，
天氣晚涼新。
山涯水畔，
眞眞士女如雲！
更有那驕人的情侶，
手兒相挽，
臉兒相親，
冷酷着面孔，

卑視我這孤身人．
我要急急的回去罷！
無奈自固私心，
我又捨不得這可愛的一羣，……一羣……
……！

——八，十一．

## 奈何

弦響

我的心弦正舞蹈，
門口有人來了；
我本來和他不相識，
他向我玩了吹牛似的一大套！
坐了几點鐘的地獄，
好歹的他告辭了！
我非常高興的，
拿起筆來要揮毫！
筆尖尚未觸着紙頁，
公寓的夥計進來了！
油腔醬醋的說完了話，
他才慈悲的出去了．

弦　響

這時我可得了閒，
要痛痛快快的寫一遭！
霎時門又響了！
我極恐懼的抬頭斜視：
只見那，
一袋米；
兩袋麵，
又有人抗着闖進了！

——八，十六。

十六

## 民山的來信

火車剛出山海關的時候，
我做了一夢！
有一位老先生來同我說：
定宇死了！
你不信，
你來看！
我去看了看，
是一口黑色的棺材！
他又說：

這裏邊就是定宇！
我就醒了。

昨天晚上，
我又夢着見了定宇。
我說：
你不是死了麼？
他說：
我是死了！
因爲我死了，
才來看看你們。
我聽着是極難過！

由以上的傳聞，
和我這兩次夢的推測，
我們對於定宇，
豈不眞是永訣了麼？
唉！

弦響

我全身顫慄了，
恕我不能往下寫………………！

——八，二十六。

## 贈壽潛

（一）

近來我見你的精神疲憊，
像受了什麼打擊；
遍問友人，
都說你缺乏異性的調劑。

十八

我對你是一個同性的男子，
又怎能同異性似的安慰你？
假設我是個女子，——
不幸再是個已出嫁的女子，
又怎敢再去安慰你？
因爲社會上是不許她再有男朋友的！

（二）

因爲我沒有女友，
所以不能夠介紹給你。
如果你再求不到安慰啊，

請你速到女高師！
辛辛苦苦的，
先當上三年夫役！
你不要嫌夫役不好：
還勝於你以前的孤寂．
況且爲尋覓愛人，
縱然是死也可以．

（三）

宇宙便是舞台，
人生就是演戲．
我們二人啊，
便是劇場中的戲子！
你演生，
我便演旦；
你演荊卿，
我便演高漸離．
我們要恣意跳舞着；
眞情歡呼着；
痛痛快快的，
一眞演到老，死！

弦響

什麼余叔岩楊小樓啊？
他們專取悅於人，
才是忘了自己的假戲子！

九，十三．

## 小事

十歲的兒子要茶吃，
八歲的兒子要點心，
忙得個婦人不開交．
她丈夫躺在牀上，

二十

口中吸着旱煙袋，
正從容不迫的，
在那裏不住的造炭氣！
聽見孩子們吵鬧，
他忽然坐起牀來，
睜着嚇人的大眼睛，
向着他們厲聲說：
學上些公子脾氣，
要忙死你媽麼！
小孩們正嚇得發征，

他夫人回頭啐他道：
我伺候我的兒子，
還用你來多嘴嚇他們？
他又忽然垂頭喪氣的一聲不響，
慢慢的恢復了他原來的位置。
只是不知爲什麼，
這時他的煙格外吸得多；
唸得他身邊的小貓，
悄悄的跑下牀去了！

——九，十四。

弦　韶

# 你們看

（一）

你們看！
他們那不是一對情侶麼？
他坐在東邊車上；
她坐在西邊車上；
極親愛的招呼。
極甜蜜的相向。
唉！

二十一

可憐我呵！
離愛人半年多的我呵！

（二）

我常常夢想：
如果我能和她永遠同居，
那是何等的幸福無量！
如今啊！
如今這四圍的乾燥空氣，
我實在不能多享！
唉！



你們再看！
那不是又來了可羨妒的愛人倆？

——九，十四。

## 小點聲罷

鄰室內兩個女郎，
正在嬌笑；
極感快樂的我，
便笑向少芸說道：
——
若是我們能打開這隔壁，

世上那有這麼好？
惟恐到那時她們只注意你，
將我這不好的撇棄了！
少芸不覺得面部紅了；
出聲笑了；
他嘴唇間經過了几秒鐘的頓挫，
猛然間和我說道：
小點聲罷！
若是叫人家聽見了，
那待怎麼好？

弦　響

## 女同學

我從女生休息室外漫走着，
猛見了兩位可愛的人兒：
一位曲肱桌上，
露出了半隻朗潤的玉臂；
嫩紅的手指兒，
吻着蓬鬆的黑髮，
委實是美麗無比！
另一位嬌怯怯的，

弦　響

在那裏，
羞澀！
微笑！
像新放苞的玫瑰花兒、
也不能比其萬一！
頓時我加入了一座莊嚴的美麗之宮，
不知道還有我自己：
更有什麼是學校？
什麼是老師？

——九，二十五。

二十四

## 垂死的人

三日沒吃飯的一個老乞丐，
直倒在溼的地上！
乾癟無生氣的嘴唇，
只是哀號不出！
旁邊走過了無數的人，
向着他一斜視就走了！
惟有几個使之了的車夫，
在那裏暗暗的垂淚！……

——九，二十六·

## 走罷

冷冬十月，
晚上更是寒氣逼人·
月兒出來了，
我要到中庭去會她·
及至我到了中庭，
兀自是渾身顫慄！
向着她看了一眼，——
僅是看了一眼，
雖然我不願離開她，
然而我不得不走了！
因爲我身上穿的是單衣
怎能够抵抗住這四圍的寒氣！

弦　響

## 痛心

（一）

半間屋的牀上，
躺着憂慮的我！

弦響

暗思量這經濟窘迫，
我近來待如何生活？
『送信』！
郵差在門口叫喊着。
我心中陡現了一種希望的明光，
或者貧寒的家中，能來接濟這困窘極了
的我？
思量到這裏我便高興了，
找出圖章來靜候着。
猛看見夥計向某君交手，

二十六

某君極欣喜去接着。
夥計一直又回號房去了，
仍然剩下空躺着憂慮的我，
在半間屋的牀上，
痛哭着！…………

（二）

朋友？
朋友和我差不多。
父母雖然痛兒子，
沒有錢寄將奈何？

人旣生了，
誰不願好好的活着？
這眞沒法活了，
我待怎麼着！

十，日六。

## 某女伶

『她的表情很好啊，
眞不愧是北京的名伶！』
我逢人便說這些話，

弦　響

像是中了神經病。
有時人家討厭了，
我還是稱道不休；
討厭我爲何還說呢？
那我可不知道了！

今晚她又演某劇，
我覺得必須去聽：
如果我不去聽，

便自己覺得對她無情！
她對我有情麼？
那我更不知道了！

這兩個不知道，
便完成了我這痛痛快快的一生！

## 與子約

你是一個極天眞的小孩，



可惜有時沉悶了。
我以爲自己也是個小孩，
可惜有時虛僞了。
你的沉悶病，
一切的娛樂都能醫得。
我的虛僞病是外來的，
恐怕永遠不能醫了！
想至這裏，
我眞要抱頭大哭！

——十，二十一。

# 往下走

馬道的兩行石砌上，
都有大兵們在那裏看守，
行人從石砌上經過時，
他們就訓令似的口吻說：往下走！
忽來了一位抗命的女郎，
竟隨便得從上邊走！
這時他們似乎把訓令全忘了，
竟沒有勇氣阻止她走。

弦　響

我距離得石砌太遠了！
因爲我不敢枉自出醜。

——十，二十五。

# 下班後

課堂外的男同學們，
都三三兩兩的談笑着。
獨剩下一位女同學，
在那裏感受寂寞。
我看見她那種無聊的境況。

二十九

弦　響

要去極親熱的安慰她．
猛向前走了几步，
不覺得渾身顫慄了！
女同學啊！
恕我罷！

——十，二十九．

## 自責者

睡下了，你忽然起來做什麽？
他拍着枕頭沒聽着．

三十

以後我若如此啊，
我便是對不住她！
然而不出几天之後，
睡夢中他又說這些話了！

## 仇人？

長夜漫漫；
大風颼颼；
我獨步在荒涼的平原，
難過得淚下點點！

如果這時我的仇人來了，
我也必定去和他握手，
作一次相互的慰安！
以前我爲何和人有仇呢？
我眞是悔恨到極端！
我始知那些忘本的人類啊！
平日裏相憎相怨，
總覺彼此間深深討厭；
如果叫他離羣索居，
恐怕無論是誰啊！

弦　響

也活不了三天兩天！

——十一，四．

## 小詩

我在陰沈沈的屋內，
爲哲學上的問題，
苦惱得我不堪，
一到陽光溫暖的庭中，
我就不知不覺的笑了。

新月

## 弦響

一鈎新月，
遠掛天庭。
你的晶瑩潔美，
委實爲我愛敬！
你既能到這裏，
當然也能到我的家中。
當我愛人獨坐牀上，
你去偷窺她時，
請你爲我向她說說：
你的愛人啊！
在外邊是委實珍重！

——三十二，十一，四。

## 疑問

立着的女郎笑着說：
你去看看罷！
走着的女郎嬌羞似的說：
還是靜候着。……
這兩句猛啓了我的心扉，
叫我發生了極焦急的疑問：

她要去看誰呢？
她要去候誰呢？

——十一，四．

## 女講師

（一）

是一株嬌艷的鮮花？
是一位優美的女郎？
她正口述着英美詩選，
嬌立在講台之上．

弦　聲

詩的美同她的美，
都一一的令我心舞眉揚！
我正在門外聽得入港，
猛覺得有人拍我的肩膀．
你拍儘管拍罷！
橫竪我是不管這一章！

（二）

她正講述得聲韻鏗鏘，
我忽然生了一種狂妄的幻想：
如果我的作品可以成功，

我也懇求她將來講！
到那時我縱然是死了，
我也在黃泉下歡喜無量！
並且要看她親目睇着我的作品，
像這一次是的，
嬌立在講台之上！

——十一，五。

## 聽某君的演講

他講述得聲音很小，



我仔細是聽不精楚！
有時他講得大家都笑了，
我也就跟着笑了。
然而我的笑決不是盲從：
因爲我親眼看見大家都笑了，
我又那能不笑呢？

## 發瘋？

當我外出走到路中，
很恐怕起了我那創造的衝動。

因爲牠常逼着我返回家來，
在我的底稿上替牠寫生。
不過心弦鳴得熱烈了，
越恐怕越是無用！
少不得再從路上飛跑着回家，
拿起筆來唯唯的應命。
雖然是屢次出去又進來，
我啊！
決不是發瘋！

——十一，七。

弦響

## 教授

漂亮的女郎，
從我們面前經過時，
誰不願多瞧几眼啊！
獨有他——大學教授，
看見我們在那裏，
硬板着面孔過去了！

——十一，九。

## 小夥計

## 弦響

她放情的唱着；
他傾耳的聽着；
漸漸的，
唱者興奮欲狂了！
聽者呆立如癡了！
這一狂一癡，
觸動了公寓裏的小夥計：
他老是小嘴向外張着，
來去的傻笑不停！

——十一，十一。

三十六

## 我的心

剛聽到她的聲音，
我的心就突突的奔馳。
心啊！
她是否是你注意的焦點？
她是否是你誓死的愛人？
你是否要從我的胸中迸出，
伏在她的面前，
作一種真誠的降伏，

摯愛的暴露？
然而她竟將你當作凡凡的待了！
嗚呼！
我欲爲你一哭！

——十一，十二。

## 哭訴

平日裏相親相愛，
心志極吻合的你們；
爲何爲了一元臭錢，

弦　響

就這樣的爭執？
如果人們都和你們是的，
我眞要爲人生哭泣！
並且要極沈痛的，
勸大家都自戕了罷！
不然；
我定要拉着大炮，
將人類全轟斃了，
叫他們不剩一點渣滓！

——十一，十二。

# 兩天

弦響

我昨天親眼看見一個小孩，
無端的被一位學生痛打了，
嗚嗚的跑出來，
伏在他姊姊的懷中大哭。
他姊姊望着她弟弟，
自己在那裏偷偷的拭淚！

三十八

今天我又看見一個五十多歲的洋車夫，
他的頭被一位大兵打破了，
背上臉上都是血跡。
他是在顫巍巍的，
猶着不能爬起。
警察站得很遠，
總是妝做不知！
我那微弱的心靈啊！

你到底要寄托在那裏？

——十一，十五．

## 圍脖

去年我回家的時節，
我父親向我說道：
你同學們都有圍脖，
你為何不買一根？
你的耳朶竟凍得這樣紅腫，
難道你就不體貼父母之心？

弦　響

我那是不體貼父母之心？
只是經濟逼得我不得不忍！
如今這天氣又到了嚴冬，
同學們都將頸部重重的密圍．
我親愛的父親啊！
你兒子的耳朶又紅腫了！

——十一，二十二

## 小孩們

天氣到了嚴冬，

三十九

## 弦響

大人們都悉縮着不敢動作．
獨有好鬧玩的小孩們，
跳的；
跑的；
的確比平日更樂得多．
大人們看了，
都可憐似的說；
悠看這些小孩們啊，
眞是傻得不可說！

——十一，二十三．

四十

## 一樣的心？

虛僞的衆生啊！
眞情的汨沒者啊！
試回想當年伏在你們母親們的懷中，
她們撫摩着你們的那個心；
再看看你們今日在惡社會裏，
自己屢次變化的這個心．
你們要作何感想啊？

——十一，三十．

# 母親的白髮

母親！
爲何一年不見的時間，
你老人的稀髮，
就白得這樣的多？
母親只是一聲長歎，
並無他話！

哥哥來了家，
咱母親就好了。
懂人情的小弟弟，
向我這麼說着。

我只覺得一陣心酸，
轉向母親懇求似的說：
母親！
兒——兒已囘家！

弦　響

——十二，五。

## 送鑰匙

我往帳房送鑰匙時，
夥計們曾來接過。
獨有今日啊！
那裏邊來了一位少女。
我剛送到門外時，
老夥計也替我接着。
小夥計也替我接着。
可愛的少女啊！
請你以後常來罷！

——十二，六

## 可愛的水蒸氣

北風忽忽的吹着，
恰正是嚴寒的大雪天氣。
我終日愁坐在冰涼的窟中，
兀自是瑟縮顫慄！
惟有慈悲的你啊！

每早起香煙繚邊的，
前來溫溫我這欲殭的殘體。
可惜少時你就不見了，
想是冷氣已將你吞襲。
如果今冬我實行凍死，
那活該我的命運如此！
如果我能僥倖度過這殘冬，
我誓要製一個完美的翡翠匣子！
好將你妥當的藏在裏邊，
永遠受不着那冷氣的吞襲。

弦　聲

——十二，十一。

## 懷夢西

（一）

今晚我和紹芸談詩的時節，
正是夢西爲他父親辭靈的時候。
迴想一月以前，
他不是也和我們在一起麼？
如今他半途回到家中，
週身披上麻布，

弦響

跪在那慘黑的靈前，
嗚嗚的痛苦着他的親父！
夢西啊！
從這裏看起來，
人類既生在這悲哀之網裏，
你我都是一樣的難處！

（二）

你最親愛的父親死了，
當然你應該嚎哭。
並且我要勸你，

四十四

最好是痛痛快快的多哭！
好向着他那解脫了的靈魂，
將你歷來所受的煩惱，一一哭訴。
他定能極慈善的，
將你已受傷的靈魂領去！
領去！領去！
此後不再受塵世的種種疾苦！

十二，十二。

## 接吻以後

她遺於我嘴唇上的唾液，
是她靈魂裏泛起的微波。
她遺於我嘴唇上的奇香，
是她心花裏溢出的芬芳。
我要精造一條寶貴的江河，
任她的微波盪漾着；
我要栽培一株神聖的鮮花，
將她的芬芳保存着。
一直到我死的時候，
她們還是常常的伴着我！

弦　藝

——十二，十三。

## 朋友

當着我境地寬裕時，
人人都是我的朋友。
當着我境地困難時，
我便一個朋友也沒有了！

——十二，十四。

多病的花　　四十五

## 弦響

我是一株多病的花，
終日愁苦在荊棘叢裏！
如果沒有愛的雨露來滋養我，
我怕要半途枯萎了！

——十二，十五。

## 安琪兒

快要枯萎的多病的花，
淚眼不乾的愁苦者，
一個活潑天真的小孩來了

四十六

向着牠只是唾！…………唾…………！
牠立刻笑微微的仰起頭來，
吐放新芽；
霎時間乾燥土上！
開遍了一片爛熳的紅花！
但牠仍向小孩懇求似的說：
我的安琪兒啊！
請你常來保護我！

——十二，十五。

## 悼某女士

嬌憨溫柔，
具有神聖的美的她，
怎麽就會死了呢？

神秘，伶俐，
具有少女的美的她，
怎麽就會死了呢？



然而不知不覺的，
她竟死了！
這世上永遠沒有她了！

——十二，十六。

## 接吻

我屢次想要和小孩接吻，
他老是不和我同意：
我只得將自己的願望打消了！

——十二，二十四。

弦響

## 回家以前

當我想到快要見着她時：
我便覺得街上走的每一女子，
都要來和我親近了！

——十二，二十五。

## 夜過女師門外

偌大的一個女子師大，
都罩在暗黑的幕裏。
想那些異性的同胞們啊！
都已朦朧入睡了。

——十二，二十五。

以上皆作於北京

四十八

## 每次

（一）

每次我來到濟南，
總有定宇在我的身邊。
獨有這一次啊！

却是找他不見。
我大聲呼遍濟南，
總不見他的笑臉。
濟南啊！
到底你是眞是幻？

（二）

恍惚夢中，
今夜我果然和他相見。
他說他已到了安樂土地，
暫時地謝絕人間。

弦　響



待到這世界不黑暗了，
他再和光明一齊重現。
我喜得跳起來了，
定宇又瞥然不見！
在我面前的，
仍然是最不堪的昏黑一片！

——十二，三十一日於濟南

## 如果

如果見了我的仇人，

我定要叫他補償我的傷疤！
及至我果眞見他，
我又那能禁得起他那溫和的一笑啊？

——十四年，一月。

## 野草叢中的小花兒

野草叢中的小花兒，
牠沒有玫瑰花般的色澤，
茉莉花般的香氣。
好評判的人類啊，



也常與以嘲笑與諷譏！
但牠老是自由自在的，
向太陽餧着牠的笑臉兒。
的確啊！
在眞實的生命之中，
牠並不知道還有什麽高低！

——一，二十五。

## 大兵過後

恰正是大兵過後，

一少婦在那裏嗚嗚的哭。

媽要哭什麼？
你嘴唇上正有血出！
小孩子怪可憐的問着：
那少婦只是無語！

媽要哭什麼？

弦　戀

我怎麼找不見我的花瓣？
小孩子極焦急的問着。
那少婦只是啼哭！

誰不愛她那可憐的小孩？
誰不怕她的孩子受屈？
然而那為人母親的少婦啊！
只是啼哭！
只是無語！

弦響

# 寄與子約

——二，七·

子約！
你記否那去年的暑天，
有一次我鼻中出血兩大碗！
你因爲醫治我的鼻血，
親自拆出你被中的木棉？
我一想起那塊木棉，
我就覺得心裏甜！



子約！
你記否有一次我們在公寓相見，
你用手扶着我的雙肩，
我也張着我的笑臉？
說不出你爛熳我爛熳，
我只覺那便是人生的可愛之園！

如今我來家享受溫暖，
你仍是身居在嚴寒。
我要想望你啊，
惟一是悵望雲天！
悵望雲天！
我原只是癡呆呆的儍看！

——二，七。

以上作於山東諸城。

## 父親的變態

弦　嬰

自從我改寄家信到市上以後，
我父親初到市上的時節：
耳朵也聽不見說鼓書的巧舌，
眼睛也看不見玩把戲的妙法了！

——二，二十八。

## 與我的小弟弟

愛你深了，
我的恐懼之心彌增，
恐懼是恐懼，

弦　響

我又那能不受你呢？
因此昨夜我顫動着聲音，
跪在上帝的面前禱告：
慈悲的上帝啊！
人類的結果慘是慘了！
寧可令我先死，
不要叫我小弟弟棄我而去啊！

——三，七。

## 眼看着

五十四

我眼看着她那柔潤的腕兒，
被風吹起了顆顆的粟粒。
我這漫無着落的心胸，
也不知不覺的起了寒意。
是我寒？
是她寒？
總是——
總是莫名其妙而已！

——三，七。

## 水仙花兒

我從家中帶來的水仙花兒，
剛到此几日？
她便垂下葉子，
而帶愁容！

——三，十一。

## 小弟弟的話

我吸煙；
哥哥責斥我；
雖然我外貌上不願意，

弦　響

我心裏可是非常的如昨註！

我吸煙，
哥哥不理我；
雖然我外貌上像高興，
心裏可是難過得多多！

我聽見笑了；
弟弟也笑了！

弦　響

他還是伏在我的肩上說：
我的親愛的哥哥！

——三，九。

註 知你是我們家鄉的一句土話，猶言對服之意。

## 哀悼孫中山先生

先生！
你老是勞苦你自己！
人類在那裏睡着的時候，
你偏要忙忙的起立！

先生！
你老是薄待你自己！
人生誰無一日閒，
你偏要勞碌到死！

試問人生能有多少精神？
能有多少氣力？
先生啊！

五十六

你畢竟是付之以死！

——三，二十日，

## 罪過

當着我向前走的時候，
老是不敢住下。
如果住下呢！
總覺得都是一種罪過。
前途的道路怎樣？
是快樂的仙鄉，

往　審

還是荊棘的叢所？
我不能去問。
且又不必去問！
總覺得半途裏住下了，
那便是一種罪過！

——三，二十二。

## 數萬人

數萬人已將採中山的遺體，
送到中央公園後殿裏。

弦響

像這種寒冷的天氣，
怎好叫他在那王開冰凉的屋裏？
因爲那裏是沒有絲毫的溫暖，
豈不活活的要將他凍死？
同胞們啊！
快快的把你們的心火燃起！
溫暖了中山先生，
再來溫暖我們自己！

三，二十三。

## 至上的藝術

一羣可愛的小女孩們，
在那裏歡呼跳舞。
普天之下啊，
這便是至上的藝術！
男孩們固然看見欣喜；
母親們固然望着心娛；
就是那些頑固的老頭兒們，
也半途裏笑着不去！

——三，二十三。

## 上了馬車的她

（一）

從無數的人羣中，
我獨自看見她！
她是在極安閑的；
極靜穆的；
人羣雖是衆多啊，
然而都不能去驚擾她！
何況是一個微弱的我？
何況是一個素不識面的我？

（二）



正看她慢慢的走着，
人類的紛擾我也不覺．
我只覺她走的每一步兒，
都應響到我的心弦起落！
她一直進了馬車去了，
我再不能見她那淡雅，超脫．
可恨的馬車啊！
你到底要將她載到何所？

——三，二十八．

## 單寒的洋車夫

## 弦響

身穿皮裘的人們，
都凍得不敢到街去了。
一個單寒的洋車夫，
拉着輛破爛的車子，
只是瑟縮着往前跑！
嗚嗚的汽車來了，
他一躱几乎跌倒。
唉！人眞不如死了！
活着那有一天好？
闖壞了車子不要緊；
傷着先生們，拉車的担不了！
他一面跑着，
一面在那裏自說自道。
這時的雪花下得更大了，
他身上又穿了一件白襖！

——三，二十九。

六十

## 寄與紹芸

（一）

紹芸！
晚上我在逆旅難過的時候，
我羨你早已安然的在家中躺着！
靜看你愛人在那裏縫紉，
你小孩在那裏玩耍。
她更向你說着甜蜜的話兒；
小孩更前去親她的爸爸。
你又喜得坐起身來，
熱烈的去將她們吻着。
同時你那爛熳的小孩，
並且向你說幾句不完全的話。
然後你再躺下；
這次一定不在舊地方了！
是又到了你愛人的被下。

（二）

一到了你愛人的被下，
你還能想到你的朋友怎麼？
紹芸啊！
此時我委實想你，
恐怕你已忘了我。

## 弦響

忘了便忘了罷！
因爲你一到你愛人的被下，
也並把你自己忘了啊！

——三，三十。

## 青草

綿密的青草，
初次從地中出來，
見了人們，
總是羞答答的低着頭兒！

六十二

——三，三十一。

## 我願

我願一翅兒飛上天去，
在碧波中盪漾幾次；
然後再不知不覺的，
直落到她的懷裏！

——四，二。

## 迴憶

（一）

迴憶她回家的那一次，
臨行時斜依着門兒
向着我愁戚戚的，
欲去又還立．
雖然她也渴想着她的母親，
和她那爛熳的小弟弟；
但我知她有句話要向我說；
我又那能捨得你！

這時女僕又連催了數次，
我覺得不好意思．
便忍心的說道：你走罷！
她連聲答應說：是是是！
口兒雖是答應了，
怎奈那脚步兒遲？

（二）

我一直送到門外，
看着她上了車子．
她一上了車子，

## 弦響

我心中陡然着了急！
直要俯去吻着她說：
親愛！我也捨不得你。
但那無情的車子，
不管我是否同意，
竟將她載向西陂。
眼看她漸漸的走得遠了，
我老是想不出什麼法子！

——四，二。

## 贈某君夫婦



（一）

你們二人爭吵時，
一個怒氣冲冲，
一個淚流滿面。
這時能有安慰之神，
來將你們安慰了，
我眞眞感謝他不淺！
因爲我一見人家愛人們爭吵，
我就覺得心酸。

（二）

爭吵過去了，
我想你們又要答言。
你說：
愛人啊，我對不住你！
她說：
親愛的，我自己委實是萬難。
懺悔完了，
你們的頸兒再合在一邊。
這次的接吻啊，
纔眞是妙不可言！

弦　響

——四，三。

## 朱唇

我每次難過的時節。
一想起女性的朱唇來，
我就笑微微的坐着
一聲不響！

——四，三。

## 幻　境

## 弦響

(一)

她不是我理想中的愛人，
因爲她也像我是的，
在世上憂鬱煩悶着，
彷徨於悲哀的孤獨路中。
然而我外而上不敢愛她；
不能愛她；
她不又成了我理想中的倩影？

(二)

昨晚她又佔據了我的心靈，



直使我一夜未得安寧。
不但想到了將來我們的戀愛，
也想到了我們結婚後的蜜月旅行。
我要急急的起來去籌備罷！
但是她啊，
她可知道我這時的心情？

(三)

今天我從牀上起來時，
半天穿不上一雙襪筒。
下牀的時節，

疲倦得不能步行•
愛人啊！
你快來扶着我罷！
若是我再跌倒了，
豈不又叫你心痛？

（四）

哦！
我的精神回復了！
我明白了！
她並不和道我的心情，
她也不前來爲我心痛•
這只是傻極的我啊！
空空的造出了，
這熱血沸騰般的幻境！

——四，七•



## 自戕

今天我要實行自戕，
因爲我深感到了人生的創傷•
剛拿起晶亮的鐵刀來，

## 弦　響

我又陡然發生了最大的戀想！
家中尙有我的親人；
此處尙有我的朋友：
若是我決然的死了，
他們豈不更受了創傷？
我只得將刀子摔在地上，
快快的寫信去寄到我的家鄉；
說是你們的亦邇啊，
仍然不斷的努力，向上！

——四，十二。

六十八

## 癡心的小弟弟

我們都到了祖母的墳前，
痛苦得不能成聲，
小弟弟屢屢的放着爆竹，
硬要去震動起祖母的魂靈！
癡心的小弟弟啊！
你快將爆竹丟棄了吧！
你要知咱祖母已經死了，
放爆竹也是無用！

# 任憑

（一）

任憑生也罷；
死也罷；
我只找我願意做的事！
願意做的事達不到目的，
我就哭泣！
哭够了，

弦響

弦響

（二）

人生找不到痛快，
就不如速死！
速死死不了，
我便要到麻醉中沈溺！
沈溺！沈溺！
到底幾時才有痛快的時期？

（三）

橫豎我是拿定主意，

## 弦響

不死我只有沈溺。
衆生之倫阿！
請你們再不要向我微笑了，
雖然我願意你們向我哭泣！

——四，十四。

## 乞女

乞女！乞女！
破衣襤褸！
蓬着頭；
赤着足；
褲子半截，
露着胳膊。
在大道當中，
來來去去！

——四，十五。

七十

## 好笑的人們

愛人倆在那裏訴衷情，
她們看見却笑了。

看見人家笑起來，
自己呢？

## 人生眞趣的讚頌

好一個人生的眞趣！
牠便是我生命的灌注。
如果一時沒有牠啊，
我的心便碎裂成千縷萬縷！

弦　響

好一個人生的眞趣！
牠便是我生命的歸宿。
如果世界上沒有牠啊，
我豈肯在苦海中無端的居住？

我要向牠熱烈的禱祝！
我要向牠眞誠的拜鞠！
我願作牠的一個奴僕，——
永不能離開牠的一個奴僕！

七十二

衆美之神啊，
個個都是牠親養的處女。
牠向人間注射着極純的靈液，
牠向人間噴放着至濃的甘露。
憔悴枯萎的人類啊！
有誰不親受牠的扶護？

弦響

牠是我情人以上的情人。
牠是我伴侶以上的伴侶。
牠也是我的眞主，——
至上無二的眞主！
安琪兒是牠的兒子。
烏托邦是牠的國土。

小孩的笑容；
情人的蜜語；
個人私心中的歡娛，
都是牠恩賜於人間的絲絲縷縷。

花的艷麗；
鳥的歌曲；
便是從牠那生命裏邊，
隨意表演出來的姣容，律呂。

弦　響

月的晶徹；
星的幽穆；
也無非從他那貼身的囊中，
施放出來的零金碎玉。

哦！
我的情人以上的情人！

## 弦響

我的伴侶以上的伴侶！
你的那一些好處，
我甚願多邀幾個人來數數！

——四，十七。

## 長虹

如果世上無一知己，
我便將我的詩集藏在袖中。
一直到我死的時候，
牠再同我埋在那土的深層。

七十四

百千年後，
牠當能吐出萬道的長虹！
使我這不羈的精神，
直貫澈到那蒼茫的太空！
遠望去是血？是淚？
恐怕無人認得清！

——四，二十。

## 荒涼的路中

我終日亍彳在荒涼的路中，

我終日彳亍在荒涼的路中，
老是疑惑到我的運命：
他人在世上都得意的活着，
爲什麼我反感到了人生的苦痛？

我終日彳亍在荒涼的路中，
深深的覺察着我的不幸：
得不到些須的同情。
幾朶小花也不是爲我開的，
更不須再論到那美人的笑容！

我終日彳亍在荒涼的路中，
面上看不出半點的笑容。
因爲樂生之念我早沒有了，
剩下的只是悲痛與冰冷！

弦　響

## 弦響

沒有靈魂我固然活不成；
有了靈魂我更是活不成！

荒涼之路我眞走够了！
幾時才到我的過程？
恐怕到不了我的過程，
便早有死神前來相迎！

——四，二十三。

## 小詩

七十六

當我到另一世界走時，
我定要迅速而去！
並且要一去不再回顧，——
不再忍心的回顧！

## 老婦皮匠與小孩

（一）

小貨攤靜靜地擺着。
皮匠担悄悄的放着。
貨攤旁的老婦安安的坐着，

白髮的皮匠默默的蹲着。
一個僅會走的小孩，
在前面一步兩步，
高高興興的走着…………。

（二）

老婦人抬起頭來了。
皮匠也抬起頭來了。
那小孩仍然在前面一步兩步，
高高興興的走着…………。

（三）



老婦人笑了。
皮匠也笑了。
這時那小孩却不走了，
是正在高高興興的跳着……………！

——四，二十八。

## 花與人

（一）

是一次幽靜的黃昏，
除我外不見一個行人，

## 弦響

在秀嫩的青草地上，
我便坐下暗自思忖。
忽從那丁香花邊，
又來了笑語含嗔。
默默的我啊，
只聞其語，
不見其人！

（二）

我悄悄的起來，
空中尚有幾朵纖雲，
雲下的景色，
一般的恬淡入神。
花的幽香，
陣陣來侵襲我的衣襟。
人的笑聲，
時時來觸動我的心門。
花啊！
我願意你侵襲有到老！
人啊！
我願意你觸動我一千春！

（三）

我告訴給花，
花向我點首。
我告訴給人，
奈人如不聞！
同胞們啊！
要知道花易得，
人難親！

——四，二十八。

## 現在的我

弦　響

現在的我，
什麼事都不顧了！
殺人也好；
犯罪也好；
當土匪被人鎗斃也好；
向愛人長跪乞憐也好。
我只任我的感情衝動而去，
在天地之間狂嘯！
狂嘯！狂嘯！
我願意去拜訪些狠虫虎豹！

弦　響

——四，二九。

# 爲同鄉張女士作

（一）

女士！

你的愛人死了，

你再爲你兒子。

你的兒子死了，

你再爲你自己。

爲你自己！

八十

再不忍在生之土上多留一日！

（二）

那一陰沈的晚上，

我看見有孤影在野中尋覔。

跌倒十次！

起來十次！

不用說我知道了，

是在苦尋着你靈魂中的人兒！

（三）

霎時間荒草孤墳之中，

慘悽聲震動了夜的沉寂．
是你們會面了？
是你們傷心了？
請你們好好的哭吧！
最好是哭一個痛快淋漓！

（四）

將生前的隱痛塡起了．
將慘隱的苦藉敘舉了．
左邊再坐着你的愛人，
右邊再伏着你的兒子．

弦　審

任天地怎樣變轉罷，
你們是終生終世不相離！

——四，二十九．

## 回想

（一）

我床上透進了一縷明月，
她要活活的把我愁煞！
回想去年今夜，
我身邊躺着一個裸體的她．

## 弦響

彎曲軟潤的潔白體上，
更襯着些枕邊散亂的青髮。
我雖極願去吻她，
同時我又不敢去吻她！
她不是臨睡前我吻的那個人麼？
如今爲何我自己又變了卦！

(二)

我以上最愛看的是明月；
到那時——到那時我反而不愛去看牠。
我以上最怕的是明月惱人；



到那時——到那時我眞是不會怕牠。
燦爛的銀光，
直射在她的身上，
像是——像是什麼？
我雖不敢去吻她；
然而這時的我啊，
早已偷偷的拜倒在她的軟枕之下！

(三)

今宵一樣的明月；
一樣的透進我的窗紗，

只是相距人千里，
無翼我又不能回家！
她的像片雖在我的身邊擺着；
然而牠呵，
牠是仍然不能同於她！

——五，三。

## 還有什麼

對於可愛的東西，
我只知道愛牠。
除了愛牠以外，
我並不知道還有什麼。

對於可惡的東西，
我只知道惡牠。
除了惡牠以外，
我並不知道還有什麼。

還有什麼？

弦　響

誰知道還有什麼！

——五，九．

## 出門

出門！

出門我要到那裏去？

公園？

公園我勢不能入．

馬路？

馬路上灰塵徹目．



出門！

出門我要到那裏去？

——五，十．

## 痛苦

痛苦是痛苦麼？

我不知道眞是痛苦，

我所知的只是麻木！

——五，十二．

## 牠是我最後的情人

晶光的炸彈，
牠是我最後的情人。
因爲牠能剷除我沒法剷除的苦惱，
解放我不能解放的靈魂！
牠並能極痛快淋漓的，
使這塵世的一切呵，
都破除了苦悶！

——五，十二。

## 苛虐

弦 聲

我正在心馳神往，
頂巧的踱來了她！
我悄悄的起立了，
她的身慢慢的鞠下。
無數的同學們，
目光又來轉射着我。
可愛的人兒呵，
你今日又令我受了苛虐！

——五，十三。

## 大雨後狂歌

（一）

血紅的火團，
光彩彌漫！
晶碧的天空，
纖塵不染！
精明！
蔚藍！
閃爍！
澄鮮！
幻境？
仙境？

（二）

偉大？
浩浩無邊！
神秘？
悄悄難言！
是衆美之神的實現，
還是人生僅有的一次狂歡？

（三）

神魂？

迷亂！
心頭？
抖顫！
倒了！
真倒了！
痛快而死，
豈僅是無怨！

（四）

僵境？
桎梏！

幻境？
樂園！
誰得見？
誰能見！

（五）

在那裏——
僅在那裏：
苦惱？
不敢近前！
性愛？

決無失戀！

傷痕？

不見！

兇殘？

更是不見！

（六）

在那裏——

僅在那裏：

花？

終古鮮艷！



人？

不改常面！

一切的衆生們、

常常團圓！

永無分散！

（七）

在那裏？

人間？

人間！

——五，十七。

中華民國十四年五月[illegible]版

弦響（全一冊）

每冊實價二角四分（不折不扣）（外埠酌加郵費）



著作者 臧亦蘧

發行者 英華教育用品公司 北京南新華街路東

印刷者 北京燕京印書局 宣武門內未英胡同 電話南局三五〇七

分售處 各處大書店 各大學號房

北京
宣武門內未英胡同
燕京印書局
電話南局三五〇七
代印

# 霜

臧亦蘧 著

青島書店（青島）一九三一年八月初版。原書橫三十二開。

# 霜

# 霜

## 目錄

### 第一輯

## 目錄 二

目　錄　四



第二輯

# 栽花的人

我要用心栽培，
我要費力灌澆；
再不管那心力疲
精神勞！，

我要用汗來潤牠，
我要用血來澆；
再不管那汗枯了，
血又焦！

他費盡了身心上的精力，
犧牲了時間上的珍寶，
最後花兒開了——
只是栽花的人死去了！

——十四年，五，念五。

霜　第一輯　二

# 有飯

有飯大家吃，
有酒大家喝，
這是我們的目標。
我們要努力啊，
創造！

活就一同活，
死便同來死，
這是我們的目標。
我們要要努力啊，
創造！

努力啊，
創造！

——六，四。

# 大夢

亡友的影子，
頻來夢中！
他依然是笑臉向我，
他依然是愛我情重。

滴滴的鮮血，
他又慘悲着淚流不停。
早已向他長跪的我啊，
要將他的鮮血，
點點的滴在我的胸中！

滴啊！
滴啊！
這是我們生命的象徵；
你的血同我的血，
他們原來是親愛的弟兄。

## 霜　第一輯　四

滴啊！
滴啊！
這是我們生命的飛動。
你的血同我的血，
你的淚同我的淚！

一瞥之間，
他又在我面前無影無蹤！
惟有寸許厚的薄板，
和四圍的泥土，
將我來安排，縛定。

一瞥之間，
我已知道了我的運命！
再也見不到我的朋友，
再也到不了我的家中。

見不到我的朋友，
到不了我的家中，
我頓時覺得宇宙之上啊，
曾來沒有那般的悲痛！

抖擻着死過的殭屍，
我要迸出了那土的深層！
但是我已經死了，
軀體是絲毫不動。

這時漆板匈我露出慘黑的面孔，
泥土更來壓迫着我的心胸，
我祈禱無靈！
喊救更是無靈！

最後我的父母來了，
我的愛人來了，
我父母是有淚無聲！

霜　第一輯　　六

我愛人更要叫我速醒！
我要大聲吶喊着說：
我尙沒到那死的行程！
致我如此的啊，
原來是那些四圍的怪精。

我要大聲吶喊着說：
我尙沒到那死的行程，
請你們平平心吧！
權且在墓門外等我一等。

我要大聲吶喊着說：
但是我一字也說不清！
是我的嘴唇不能移動，
還是我欲說不能成聲！

這時我的父母都跌倒了，

他們也是沒有了性命？
我的愛人跪在一旁，
呼天，天不應！

那天上的怒雲，
漸漸現出了悽慘的悲境。
茫茫宇宙啊，
更沒有絲毫的光明。

我這時喘息個不停，
抖顫得極凶，
不知道我的心啊，
是否尙伏在我的胸中！

然而我尙有我的希望，
我尙有我的光明，
我的希望與光明啊，
便是那震耳的霹靂一聲！

霜　第一輯　八

天上的怒雲，
摺疊得重重！
四圍的景物，
鬱悶到極頂。
好了！
閃！閃！
隆隆！
閃！閃！
隆隆！
果然是霹靂一驚！

更好了！
幕門開了！
我一跳啊，
便跳到了他的當中。

我的父母醒來了，

陡然看見了兒子的面容。
他們微微的笑着，
兒子兒子的叫個不停！

我的愛人立在一邊，
向着我一聲也不聲！
這時的她啊，
恰像是我囘家時那般的從容。

我眞喜得手舞足蹈了！
我身邊又變成了黑暗的魔宮！
這是怎麽的一回事啊？
原來我是做了一場大夢。

雖然是一場大夢，
牠已振動起我的魂靈！
我尙有我的希望，
我尙有我的光明，

我的希望與光明啊，
便是那震耳的霹靂一聲！

——六，七。

# 爲什麼

（一）

爲什麼淨水上反有種種的斑點？
爲什麼五彩虹不常常的住在天邊？
爲什麼人類老是無情的相殘？
爲什麼自己的意中人，偏伏在他人的懷中嗚咽？

（二）

爲什麼我的祖母被埋在枯黃的土中長眠？
爲什麼我的朋友，又無情的轉入悲觀？
爲什麼！
爲什麼我老是解釋不了這些刻骨似的疑團！

——六，廿一。

## 小詩

鷄鳴的昧爽，
朦朧中有人失望。

——七，五。

## 路過羊姪墓側見蛺蝶

美麗的蛺蝶！
如果你是羊的靈魂：
請你跟我走回家來，
我再爲你揑泥人兒，
你再兩手摟着我！

如果你不是羊的靈魂：
更請你展開翅膀，
將這堆小墳掩罩過來，
我好要安安穩穩的過去！

# 我的家鄉

（一）

碧綠的田疇，
竟無一人來往。
三五的野鳥，
都上下的自在飛翔。
青山也青翠欲滴了！
人們啊，
人們到底到了何方？

（二）

荒草早已暴長，
穀粒因風飛揚，
人們啊，
人們到底到了何方？

（三）

拍！拍！
一鎗！兩鎗！三鎗！

# 看啊

——七，廿四。

看啊！
西方啊，那西方啊，西方起了一層血紅的光霧。
看啊！
這地上啊，這地上啊，這地上更是青青如許。
看啊！
那青山啊，那青山啊，那青山是嶄新的碧綠。
看啊！
這田間啊，這田間啊，這田間來了一個荷鋤的農夫。
我便走向前來，
取下了他的長鋤。
他問我怎的，
我說我要向牠訴苦！

——十月。

# 奔囘

奔！
奔！
前進！
前進！
快逃出唬心的血坑，
折囘到安樂的家園。

奔！
奔！
前進！
前進！
快逃出唬心的血坑，
折回到安樂的家園。

家中，
有父母健全。

家中，
有故人相憐。
那處——
沒有兵燹！
一定——
沒有兵燹！

喲！
何處來的鎗彈？
在那邊，
那邊是煙雲瀰漫！

奔！
奔！
前進！
前進！
逃出了這塊土地，
那才是眞正的人間。

奔！
奔！
前進！
前進！

奔！
奔！
前進！
前進！

哦！
那邊又是煙雲彌漫。

——十二，十一。

## 陳腐的髑髏

我有一次見到了陳腐的髑髏，

遍體上都表出極深的創孔，
是他生前所受的隱痛，
到死後更顯得分明？
是他死過以後，
才悔悟到生前的種種！

我更有止不住的悲哀，
便要向他款訴衷情！
我說也說不出了，
他的創孔數也數不清。

他是我八們的模型，
祂是我八們的究竟；
祂生前的種種幻境，
便是我們現在四圍的形影！

他爲痛心之極，
才漸漸的歸於無形——

是泯除了他的創孔，
是要使他自己無生。

我跪在他的面前，
我誓要拋棄了我的種種！
因爲他是我們的模型，
一切人們的模型。

## 床頭的蟋蟀

多半年的苦況，
我皆莫知其所以了！
惟有床頭的蟋蟀，
來伴我這無言的淚……………

十五年，二月。

## 風

風！

你能使一切都在飄動，
你能否使我的淚珠，
呈進于她的目光瑩瑩？
風！
你能使百花點首，
你能否使她的心花，
向我作一度的歡傾？
風！
敬請發展起你的本能。

——七，十三。

## 我們都跌在泥溝裏

我們都跌在泥溝裏，
的的確確的跌在泥溝裏。
我們要大呼求救——

霜　第一輯　二〇

梅哀憐的大呼求救。

在我們的嘶喊聲中，
民賊們立在我們的頭上！

——七，十八。

## 明月下

明月下，
鼓聲琅琅。
拿板櫈的小姑娘，
在樹影中模糊起來…………

——六，六。

## 變

（一）

日出矣，

沒！
月圓矣，
缺！
成人矣，
老！
病！
一切的一切啊，
變！
變！

（二）

握手矣，
散！
熱吻矣，
斷！
情人矣，
仇怨！
一切的一切啊，
變！

變！

（三）

母親？

死！

故人？

不相識！

一切的一切啊，

變！

變！

（四）

人生果是無望的死囚，

便不應再令他有所迷戀！

既已令他有所迷戀，

爲什麼——

爲什麼將人丟了天不管！

（五）

人生既是造化的小兒，

總應該撫養而垂憐！

爲什麽——
爲什麽殺了兒子又枉自稱天？
爲什麽殺了兒子又枉自稱天？

## 這一笑

他將水桶放進井裏時，
她在樹陰下笑起來。
這一笑，
頓叫井繩長了許多！

——六，十三。

## 好容易割來麥子

好容易割來麥子又不安穩！
那天還有半碗殘飯了，
我小弟弟在守着狠號！

我和我的母親，
吃飽了些黃菜根：
這好容易割來麥子又不安穩！

麥子在場裏，
人一天跑五次。
說是昨天西莊的麥子，
都被兵們喂馬吃盡了。
這好容易割來麥子又不安穩！

——六，十六于亂的家鄉

## 亂後寫給她

（一）

親愛的！
你買到五個鷄子，
爲的是我餓了一天兒！
你自己不吃，

來送給我吃！
那時是你纔逃難跑囘來啊。
粗氣喘得吁吁的。

（二）

親愛的！
僅是五個鷄子罷了，
那又什麼出奇？
只是我在亂離，
你在亂離。

——六，廿一。

## 平時

美婦！
平時我還可以同你談談。
我知道：
你是美麗的，
你是多情的，

但是——
平時我還可以同你談談。

——六・廿一。

## 戰後

不可免的，
戰後！
看看啊，
十之八九。

死過者，
去矣！
未死者，
彌留！
盼人來——
人無有！

吃屍肉的黑鴉，
在樹頭！
嘁嘁喳喳的，
一片好筵脩。

遠處，
又來了三五兇狗。
舞蹈着，
踏踐腐髑髏！

未死者，
彌留！

## 革命黨的死後

他被警廳鎗斃，
警廳給了他一口殘缺的棺木。
裂縫很寬很寬的，

他又滴了三日的血！
好容易將靈柩運到他的鄉里。
他故鄉的人說：
與土匪一樣
被人槍斃的！
在一個小小的棺木裏，
他有話也說不出。

——七，廿二。

## 吃鴿子吃鷄

吃鴿子吃鷄，
甜美無倫；
吃鴿子吃鷄，
無傷乎靈魂？
說是人類啊相親相愛，

那是誰也不能否認；
說是殺傷了有生之倫，
說是殺傷了有生之倫！

——七，廿三。

## 湯米

（一）

誰說人情薄於蟬翼？
誰說人情厚如紙！
亂離中，
討不出半碗湯米。

（二）

湯米，
牠是甚東西！
我離不了牠——每日——
這回更叫我了解了眞理。

（三）

湯米，
牠是甚東西！
不是牠，
不知曾有多少人糊塗至死。

（四）

湯米，
牠是甚東西！
因爲有了牠，
人類才有高低！

（五）

湯米，
牠是甚東西！
因爲牠——
家家戶戶的，
家家戶戶的分離。

（六）

湯米，
牠是甚東西！

水火是炎涼的，
牠才是炎涼的起抬！

（七）

湯米，
嗚呼——
牠是甚東西。

——七，廿四。

## 胡說

他正在小便，
背後被他嫂夫人一脚
他便落進毛廁裏去了。
週身的臭糞，
週身的難聞！
回家來他做了四碟小菜兩個盅兩雙筷，
爲報復起見，

霜　第一輯　　三二

夜間送在他嫂夫人的門外，
嫂夫人親身居住的門外。

半夜時，
哥哥要到中庭；
一開門，
哥哥怒氣沖！

嫂夫人吃盡兩拳，
大哭喊冤！
哥哥說他不貞，
夜間來了兩雙筷兩個盅！

哥哥嫂子鬧在一起，
哥哥嫂子正在不甯：
這時他才進去，
這時他才告他們罷兵。

——八，十二。

## 血汗

工人們的血汗，
造出了盈囤的糧食。
地主的糧食在囤裏，
工人們的血汗沒有痕跡。

——八，廿六。

## 你給我記記

朋友，
你給我記記！
深長夜裏，
那時我們在前敵。
除了短促的呼吸聲外，
無半點兒聲息。

朋友，
你給我記記！
我們的好友被敵人擊死，
我們也不敢哭泣：
司令說那是犯法，
不干你的事！

朋友，
要緊你給我記記。

——八，廿七。

## 八月十五到了

八月十五到了，
家家都吃梨吃棗吃肉。
但一部人是如此的；
另一部份在吃空氣吃血！

——九，四。

# 鎖門誌

地主手中提着鎖，
佃戶們跪在地下。
地主不讓他再住了，
地主的怒氣正發！

佃戶們眼巴巴的
望着地主的臉；
他不是怕地主，
他是怕鎖——鎖！

爺們！
救命吧！
外邊正大風
我家還有新生三日的小娃娃。

爺們！

相處多年的爺們！
您家養狗尙有窩，
先前我們就見過！

爺們！
爺沒留心那天下的一場大雪？
凍死了三個乞丐，
三個乞丐沒有家！

佃戶們正在說！
佃戶們正在說！

——十，一。

## 究竟

朋友！
我們撐起船隻，
我們走，

我們莫問究竟！

遇到了黑暗的漩渦，
遇到了峭險之重重，
我們走——
我們莫問究竟！

或者有時遇到光明，
但是一刹那便過去了；
我們走——
我們莫問究竟！

快樂在心裏，
悲哀也在心裏。
只是快樂常有麼？
我們走
我們莫問究竟！

我們雖不問究竟，
悲哀只是刺着我們心痛，
我們走，
我們莫問究竟！

直到我們死去了，
我們便不知究竟。
直到我們死去了，
我們便不知究竟！

——十，一。

## 不忠實的女兒

自從她和情人的曖昧，
被她父親發覺之後
睡覺時他枕着菜刀，
門口裏放着牀鋪。

情人來時，
絲毫不懼！

蜷伏，蜷伏，
這邊是牀足，
那邊不是牀足。

剛蜷伏過牀去，
不幸啊！
撞倒了什麼東西？
父親說我的火具啊，
快取！快取！

她從容自屋裏出來，
取到了他的火具；
她把火芒全挫去，
空有火鐮與火石，
空有！

那時她和情人實行了熱吻，
那時她和情人偎傍個心滿意足，
直到情人走得很遠了，
父親再睡在他的牀鋪！

——十一，廿一。

## 不知不覺

不知不覺，
過此一生！

不知不覺，
到了天宮！

不知不覺
補就天層

不知不覺，

失了光明！
不知不覺，
魔鬼崢嶸！
不知不覺，
大姐姐變爲醜形。

——十二，卅。

## 嚴冬的世界

嚴冬的世界，
是小孩的世界；
因他們的熾炭，
是藏在內心！

## 在我的屋裏

這邊是豆楷火，是煙，

這邊是醜看的她；
頭髮散亂着，
落上了一些灰。

## 過兵之夜

路途泥濘，
說是過兵，
牽牛牽馬，
雪中行。

今天說是雪冷，
今晚說是雪沒冷！
看看有兵，
快看看！

老婆抱着孩子，
大八背着麵甕，

走！走！
走向雪中。

困斃！
也不要放下麵甕。
丟不了牠，
一家人才能活成。
丟不了牠，
一家人才能活成！

## 兒子死在戰場上

兒子死在戰場上，
母親一病在牀上！

孩子：
你願吃什麼，
你便和我說；

這邊有些精美的食品，
共新添的鍋！

孩子——
你來和我說！

——十七年，一，十四。

## 追悼日本詩人石川啄木

（一）

有病而無力服藥，
腸碎而接續斷炊，
詩人——
因此我便知這是詩人！

（二）

你有病，
你的愛人有病，
你的母親有病；

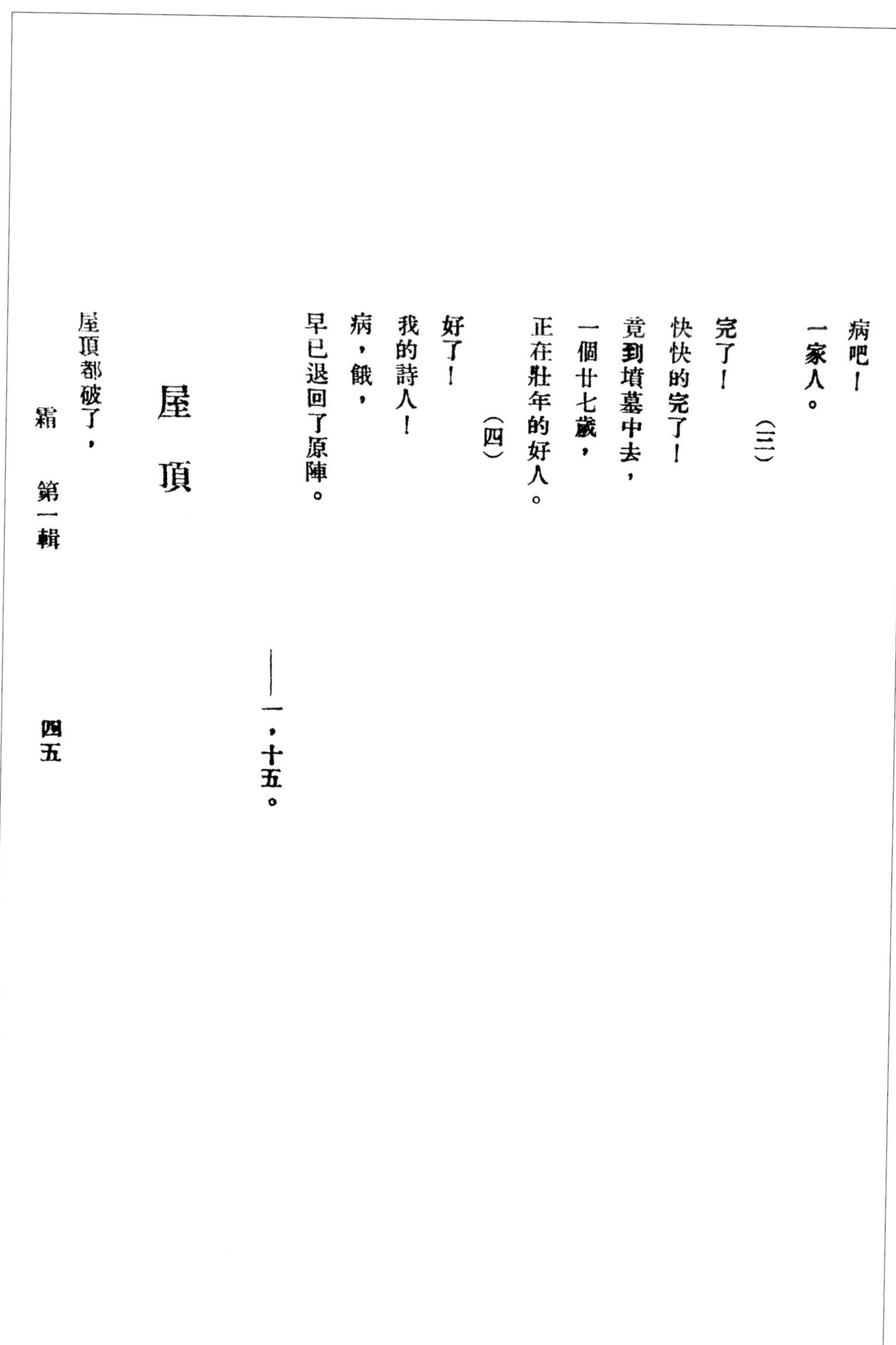

病吧！
一家人。

（三）

完了！
快快的完了！
竟到墳墓中去，
一個廿七歲，
正在壯年的好人。

（四）

好了！
我的詩人！
病，餓，
早已退回了原陣。

——一，十五。

## 屋頂

屋頂都破了，

如沸的太陽落下來；
他一手扛着傘，
一手正在寫詩。

——一，十八。

## 草

草！
你是故鄉的一株草！

現在來到春天，
你早在麥隴上殭了；
殭了便殭了，
反轉村中人沒有注意到。

鄰近的麥苗，
我想都在安慰過你；
我看你在靜靜地臥着，

我看你在靜靜地閑笑！

灰色是你的衣服，
枯黃是你的容貌，
來不及了啊！
中心早年便枯稿。

來不及了啊——
見人不爲禮，
苦臥嫌日高，
灰黃的塵土不能擾！

飛飛！
飛到野墳的枯棺上去；
唱唱！
唱出些無音調：

我不是紙錢灰，

我不是蓩靈草；
我是春天殭了的，
我是春天就來到。

說起我：
比無髮的老頭兒還老！
老頭兒還能直直腰，
老頭兒還能直直腰！

你——野棺，
你——棺中的朽骨，
有眞味，
有異香，
我來嗅嗅！
我來嗅嗅！

——一，廿。

# 戰歌

打倒！
打倒！
我們一齊來………。
我們一齊來………。

傀儡，
猛獸，
血泊中——
取消！
取消！

殺人的仇敵，
莫逃！
莫逃！
拿起鐮刀——
拿起鐮刀！

馬鳴！
風蕭！
血污——
血污好了！

聽！
聽！
驚覺，
要早！
驚覺！
要早！

回頭望——
望去！
新世界；
沒有，
傀儡；

沒有，
猛獸。
殺人的仇敵——
莫逃！
莫逃！

——一，廿二。

## 我們沒有刀

我們沒有刀，
我們沒有鎗，
我們有嫩的心，
我們有嫩的心。

被人欺壓，
被人陵踐，
刀鎗是他們的——
刀鎗只付與他們。

霜　第一輯　五二

# 無題

頭髮蓬鬆着，
春初倘穿單褲；
我偎傍着她，
她緊依着我。

她說她今年廿六歲，
她說她曾沒被人瞧起一回。
說的時候，
她的話如吐嫩絲；
軀體依在我的身邊，
像是一隻弱小的羊。

——一，廿五。

——一，廿七。

## 被父親斥責後

今天我見到了一個小孩，
天眞爛漫的說她吃了飯了，
高高興興的說她自已的遊戲，
說她自已的遊戲！

可是我：
吃飯時多不如意，
吃完了飯，
父親說是瞎吃屎。

親愛的父親！
我吃的什麼我雖不知道，
只是我拼命圖謀的職業，
已有人搶去當了茶食！

說起國事，

說起環境如斯，
不但我們這樣；
就是頂苦的人也塡了溝底！
親愛的父親，
就是頂苦的人也塡了溝底！

## 我在家中

我在家中煩惱極了，
跑到井台上去；
遲疑了半天，
再回到我自已的屋裏。

——二，十五。

## 不知名的人

大風遠道，

日暮途遙，
到了一個小村裏，
見到了一個不知名的人。

——二。十九。

## 死

說我不怕死，
那不是眞實。
說我眞怕死，
那是有點侮蔑自己
死！
死！
我正待你衝擊。

你不來的時節，
我當然是平和的；
你來的時節，

我此處沒有炮門！
死！
死！
宇宙的缺陷層層，
正好坐待你。
死！
死！

——二，廿。

## 一人曲

男：姑娘！
我最親愛的姑娘，
你要殺我，
不用刀，劍，毒藥，火鎗。
你的目光，

我便死在了你的目光。

我哀求你，
像是哀求慈母一樣；
你不理我，
你叫我一人站在麥場。

姑娘——
很心的姑娘！
你始終不理我也就好了，
臨去時你不該有那樣的目光！
那樣神俊的目光！

姑娘！
我一月來不曾睡穩，
我只想念我鐵心的姑娘！
殺我你就殺吧——
不用刀，劍，毒藥，火鎗！

女——是誰殺你來？
是什麼病魔到了你的身上？
我這裏原有觀音像——
我爲你供奉的觀音像！
男——親愛的姑娘！
我今天初次嘗了你的吻，
你是把我再產生了，
你是把我再育養！

親愛的姑娘！
這是什麼呀？
這是我舊夢中的乳房！
這是我舊夢中的乳房！

親愛的姑娘！
你今天這樣溺愛了我。
親愛的姑娘！
你今天這樣溺愛了我……

女——情郎！
我的情郎！
我又那能不貼服你呢，
我們是亂後囘的故鄉！

不是亂後，
你又那能動我的心腸！
亂離的時候，
我一人跑到少人跡的高岡。

那時我心中害怕，
我心下悽愴，
是我有生第一次的遭遇，
我又發生了貼身的癡想！

我想，
我後悔似的想，
以前我不該拒絕你！

霜　第一輯　六〇

以前我不該苦惱你！

這樣，
像是這樣，
死去——
我不是在宇宙活過一場？

情郎！
我往日的情郎——。
處女，我只是處女了，
處女撇離在高岡！

我要死了吧！
我要被亂兵殺了吧！
情郎——
快見我的情郎！

那時我的悲哀，

我的懺悔，
我的淚，
我的情郎！

男——姑娘！
你不要哭，
亂離過去了，
我們從此相見了！
你看！
那是你的軀體——
那是我的軀體？

女——我的心！
我的淚！
我明白了，
我還能再…………
親愛的！
我最親愛的！
你說怎麼樣吧，

你隨便說怎麼樣吧。
男——你說怎麼樣吧。
你隨便說怎麼樣吧。
女——這是衾，
這是枕，
這是你，
這是我。
男——這是一人…………

——二，廿五。

## 我的家鄉

像我這樣無用的人，
病了，
瘋狂；
好了，
還是瘋狂！
何處是我的家鄉，

那裏是我的家鄉。

山頂？
水汪洋？
衆屍層中——
剛過的戰場？

來！
來！
找我的家鄉。
來！
來！
尋尋！

情人的乳？
醜婦的內相？
荒場，
少人跡的荒場？

是盤古開天，
並沒有我的家鄉？
是女媧補天，
掠去了我的家鄉！

唔！
怎麼今天才行找到，
是我今天病死在牀！

朋友們，
快來歡唱！
朋友們，
快來歡唱！

——二，廿五。

# 百忙中的

漂亮的戲台快架好了：
有的在忙着抬板，
有的在忙着開箱，
他手執着麵餅，
正在張口而大嚼！

三五的伶人，
都在想扮演什麼好戲；
走來走去，
手足無停梭。
他手執着麵餅，
正在張口而大嚼！

賣食物的小販子，
咕頸吆渴；
見人就問，

見人便柔聲的問。
他手執着麵餅，
正在張口而大嚼！

## 柴門外的她

眼波一轉，
怕人瞧見，
却終於被人瞧見！
取起針來，
引上線，
沒事似的忙——忙………

## 人是很愚蠢的

人是很愚蠢的：
害了一輩子的人，
最後也終於被人害了。

人是很愚蠢的：
大嫂子很傻，
大嫂子很老！

人是很愚蠢的：
費了許多心血，
猶嫌自己的倉廩不加豐；
米在倉裏爛着，
人在土裏爛着！

人是很愚蠢的：
得不到情人的時候，
苦惱得幾成非人；
情人到手無多時，
情人死去不回來。

## 夢

我一次夢登長城之巔，
炎日向我突突的亂轉；
我一次夢立在荒凉的平原，
狂風更向我忽忽的嗚咽！
我又一次夢見自己礫成碎片，
飛到了南天北天，
大大小小的一切啊，
都在盤旋。

## 桃花

粉面桃花！
我在牆邊立着，
我看見了你的首。
微風來了，
我看見了你的腰。

站在土阜上邊，
我看見了你的足。
睡夢中，
我看見了你的魂。

## 我在村中寂寞極了

我在村中寂寞極了，
見到女子就談性慾，
鄉人逐出我來，
放上了欄門灰！

## 想念

想念着外出的兒子，
他走到了戲台底。
有戲他不聽，
他去找找算卦先生！

先生說着，
他一動也不動。
明知先生是爲的青銅！
明知先生是爲的青銅！

但——
做戲的在做戲，
聽戲的在傾聽；
惟有先生——
來指出他兒子的姓名。

惟有先生，
來指出他兒子的姓名。

——三，一。

## 制止

小孩的跳動，
大人制止他；
小孩立時靜了，
小孩受盡了侮蔑了。

## 家中

因爲經濟窘迫，
父親又發出嘆息；
小孩在屋裏叫號，
母親到院內嫌惡大風。

## 到戲台以前

我信步到彼村外，
聽得鑼鼓響了，
笙管並奏！

見村首有兩位姑娘，
在麥田中掘菜；
不知這樣的聲音，
是從那裏來………

——三，三。

## 在將拆的戲台前邊

一個白髮的老婦，
領着個會挪步的小孩，
立在將拆的戲台前邊，
臉前更無一人！

在以前演戲的時節，
人更沒有注意到她；
實在她已沒有活潑的心神，
少女的青春！

今天社戲過去了，
家中已有看門的家人，
大風來了，
她在台前立穩。

大風來了，
她在台前立穩。

——三，四。

## 鄉裏的戲子

當個戲子，
三輩子不能進老塋：
行人這樣辱罵着，
故鄉人這樣呢喃着！

他——
死了不能進老塋的戲子，

吃着粗飯無報酬，
唱戲唱到大天黑。

——三，十三

## 人生

誰說人生是苦的，
我要攻擊誰！
誰說人生是樂的，
我要攻擊誰！
我要將人生放在手裏。
推！
推！

## 詩翁

長于哀哭，
拙于謀生，
是誰？
是詩翁！

哭得連人家的心都碎了，
他還是嗚嗚嚶嚶！
拙得連敵人也在發恨，
一頓飯掙不到三五薄餅。

宇宙是大的——
而無處謀生！

## 添土

背着土筐，

扛着農具，
到郊外，
緩緩地挪移雙足。

到了死過的母親墳上，
一鍬一鍬的添墳頭土；
不是普通的路上行人，
是兒子在此添墳頭土。

往日我給母親泡茶，
母親要她自已來做！
現在兒來添土，
筋疲力竭無人訴！
母親！
不要恐懼！
不是普通的路上行人，
這是你兒子——
這是墳頭土！

## 人往矣

人往矣！
我止步矣！
默默聲息兮——
惝怳以垂涕兮！

——三，卅。

## 土

嘗足了滋味了，
蔑視，侮辱，
走到那裏，
被人笑到那裏，
走到那裏，
被人指到那裏。

——三，卅。

不平——
燃燒——
土，
滿頭土！

——四·一○。

## 無題

慢，
慢，
險！
險！
悄悄地——
乞！
乞！
來！
來！

首貼住裙緣；
淚滲透心田！

言！
戀！
整個的——
獻！
獻！

她或者——
她或者攙起了你
她或者——
她或者心變意轉！

## 新村

新村，
我的曙光是新村。

天啊——
還給我的新村。

宇宙的惡濁，
家庭的暗昏，
不明不要緊！
不明不要緊！

新村，
牠是我的唯一處所。
除了牠，
還有墳——墳！

聯合起來，
過路的人！

## 晌午時分

晌午時分的樹蔭底下，
她在立着喚小鷄；
她丈夫回家用飯了，
她家養的大牛拴在樹底。

## 迹

女子的笑聲，
樹葉的飄零，
空中的土，
極小的螢；
朽過者的白骨
被人摯愛着的女棺。

——四，五。

## 炮火

（一）

我在松林裏坐着，
四圍都是炮聲，
哦！
世界是炮火的世界；
人生——
原由炮火而生。

（二）

東，
向東；
轉彎向西——
南，
北，
掙扎不動！
掙扎不動！

（三）

無奈，
取出麻繩，

束住我的頸，
懸在黑松！
我如無知的婦女一樣了，
讓敵人快慰無加，
讓敵人心壞坦平。

（四）

人生，
人之生！

——四，一三。

## 我村的近處

狗吠，
人驚，
掘戰壕，
離我村是半里遙。
平地，

掘三尺深。
毁了麥苗，
毁了種田的人。

世道不安穩，
種田也有罪；
麥地成了溝，
平地起座墳！

一堆，
二堆，
村的前頭——
住家的門口。

## 在戰壕的一邊

戰壕一邊，
我們都在聳談；

是東村西村的，
而我們都不相識。

反轉——
同是戰壕中的人：
我們了解彼此
我們同情彼此

快要開戰，
我們曉的；
而村莊要盡成邱墟，
我們可未曾提起！

死要臨在頭上，
我們曉的！
常玩的地方要不能玩了，
我們可沒有這樣的心地！

那是粉面桃花，
那是小河之岸。

——四，十八。

# 土邱之側

是誰氏的佳城？
好像一間小屋，
上邊插着茅簷；
沒有小小的窗，
更沒有小小的門！

是誰氏的一座佳城？
臉前沒有親人，
四圍都是荒草。
風吹草動，
過鳥不鳴！

我要哭，
我更悲痛。
裏邊臥着何人，
在我原是昧生。

裏邊臥着何人，
料也不過宇宙的一粟；
小小的粟殼
我可對你起了恭敬！

你死於何日？
你生前何感？
我見到了你的墳塋，
怎麼我見到了你的墳塋！

你也有朋友——
你也有過癡情？
他們在那裏，

他們到了那裏！

我爲你送信，
我爲你奔騰！

——四，十九。

## 難兵淚曲

離了福建，
離了江西，
打了一路子仗，
來山東作了俘虜！

爲誰打仗，
去打誰？
他不明白，
他也沒曾問過自己。

看見司令的面孔，
聽見司令的說話，
孫傳芳？
孫傳芳？

最初還能迎戰，
後來遇見敵人，
震慴了——
怎麼沒有會前？

追訴啊——
追訴起；
真不堪，
莫憔悴！

兩三年的生活，
都在烟霧中；
炮彈打透了樹，

禿樹再萌生！

看到了人家的焦牆，
聽到了婦女的顫聲，
有時，
有時半天無一影。

成羣逃難的弱者，
狼狽而行；
從福建江西，
看到山東！

長江裏有血，
黃河裏有血，
誰家裏母親的血，
誰家裏兒子流在水中！

珠江的血許褪了吧？

水會東西。
昨天做夢夢着南昌，
可沒曾做夢夢到故鄉。

北方的景，
冬天草枯風吼；
正是江南的綠樹，
盈罩到了門口。

今天見到了無底的戰壕，
土都培到高頂；
討厭死——
誰的墳塋！

來到這裏，
說話也不懂，
訴苦訴給自已，
草木都不萌生。

他是擄到了俺，
硬繩拴在頸。
他們說的什麼俺不知，
好像他們的妹子被姦死！

朋友！
那是何人？
除了睡在烟霧中，
我們那有功夫去支撐！

在安徽的時節，
也見有婦女死在溝中：
是一樣啊！
男的女的都丟命。

他們擄到了俺，
硬繩拴在頸。

他們說的什麼也不明，
好像被人平了屋頂！

都一樣：
我們的宅院被燒燬了，
我們這才當了兵！
如不信，
請去看看鄉村與市城。

我看來，
你們什麼都不通！
你以爲凡人當了兵，
都是有心自作弄？

請看看！
請聽！
成千成萬的墳塋，
有成千成萬的墳塋。

霜　第二輯　　九四

——四，廿四。

## 不朽

不朽，
不朽，
有大不朽！
不是銅像，
不是紀念樓，
不朽——
有！

並不是幾千年後的小生物，
他們的祖先不朽；
泉水流過了，
也並不是苔痕能留！

清風爽人的胸襟，

明月照人的肺腑，
時間過去——
空是悠悠。

拴在架上的小鳥，
牠想到牠的快死。
情人偎傍的時節，
情人原沒有永久！

沒見太陽的露團，
牠算不朽；
見到了太陽的露團，
牠再借到人們的目光寄留！

電光過去了，
算是無有。
花草枯萎，
寫在篇頭！

——四，廿九。

## 亂中

親愛的
請你先在牛棚裏睡！，
這樣的朗同白晝——
晚上會有人來叩門！

——四，廿九。

## 敗兵曲

敗兵！
敗兵！
接二連三，
接二連十！

有任麥田的

有在溝的
樹林內，
牛棚底。

不是女子——
跑不動！
蹣跚蹣跚的，
是有追兵？

風聲，
水聲，
炮彈聲，
凱旋聲。

祈禱！
祈禱！
平生只有一次強姦未遂——
只有一次強姦幼童！

討厭死，
村中無人影！
他媽的——
找找米甕！

發財的夥計，
半途失了蹤。
無家歸的我們，
走到村中又見不到媳婦！

搶點來，
搶點去，
紅搶會？
不是——
燒上香！
燒上香！

以前是在雲霧裏，
現在走到樂土了，
出門！
很重！
回來，
囘家去——
治田宅，
作富翁！

## 掘戰壕的一日

他的愛人死後沒有三日
墳土待乾；
她的後邊築起戰壕，
戰壕連着地之北陌地之南阡。
他謹慎的走到墳邊，

祝了一聲萬安！
有戰事勿如生時一樣的怕懼，
有我在此和你相伴。

他們的砲火聲，
擊不動你的墳巔；
深藏！
安眠！

有人說他是瘋子，
生者的性命尚不齊全；
何暇顧反到過的死者，
白骨巉巉！

有人說他眞是瘋了，
他家的宅舍遇了兵燹！
他還來顧及到一抔黃土，
什麼地下人安眠不安眠！

他確是瘋了！
他謹慎的走到墳邊。

——四，三十。

## 我

我！
是一個糊塗人：
無論見到誰，
無論遇到誰，
老婦，
兒童，
無名草，
豆楷灰。

# 淚

有害病死者，
有被姦死者，
炮彈下，
生之初！

日久年後
腐肉淨盡剩白骨，
于是大家都起來，
交相握握手。

男，
女，
老年，
幼小，
殺人的人，
被殺的：

不能相仇！
已不能相仇！

## 詩人

詩人，
病的詩人，
在世上能得同情？
泥土中的沙礫，
泥土中看珠寶。

詩人，
癲癎的詩人。
你哭時怎樣高興，
你的淚珠怎樣輕盈！

宇宙是痛的，
有的來此報告。

宇宙是樂的，
你作優伶舞蹈！

詩人，
你的氣息，
含在死者的臭棺；
併吞了日月，
更有何人來找。

詩人
癲痛了的人！

——五，一。

# 過去的老僕

顚簸，
顚簸，
內宅，

外宅，
都是他照管着。

我從初生下來，
就看見有他；
我現在成了壯年人了，
他早已散落了他的白髮！

早起——
掃除院落，
佝僂屈背，
日近一天多。

晌午，
爲我家到市買菜；
菜剛買在藍子裏，
晚了回家？

我的父親吃的菜是他買的，
我的祖父有吃過的菊芽；
祖，父已經死了，
他還每次晌午買菜回家！

到了晚上，
他關上大門：
靜聽聽，
大門外的動作！

眞奇怪，
他曾不知倦乏；
有了點空，
他還要領着我耍。

他沒有天地，
他沒有日月，
忙——忙，

消瘦，疲困，老，去了年華！

他沒有天地，
沒有日月；
死後的一杯黃土，
成了他的住家

——五，一。

## 月明

月明，
樹影，
悄悄地——！
一動不動。

信步緩行，
從村西到村東；
是另一種——
不是人間城。

安琪兒睡在天上，
小犬兒伏在樹影，
仙女們
陡下廣寒宮！

藝術的神，
優美的聖母，
都離寶座，
融！融！

愛的使者，
引到嫩白少女，
冉冉…………
朦朧！

哦！
哦！

我葬！
我葬在渺冥。

——五，二。

## 小詩

死！
極大的奢侈：
什麽也沒有，
藝術，美惡，偉人，流娼！

——五，四。

## 剛過雨的小杏樹

剛過雨的小杏樹，
綠葉上垂了明珠；
新發出的小枝兒，
嫩紅緣上薄綠。

小孩高興着來搖擺，
他的身上落了急雨。

——五，六。

## 美的貌

美的貌，
美的丰神，
美的軀體，
美的口；
只因沒有飯吃，
所以提籃街喊，
終日得不到慰藉的人。
如梭的歲月度過！
流水的年華悠悠……

——五，十。

# 一人

白，
露團，
青，
葉裏；
嫩——
睡起。

——五，十二。

# 我有

如果我是一粒櫻桃，
我要鑽進她的喉嚨，
下去．
伏下去，
不出——
沈！

沈！

如果我被她消融，
如果我融化在她的胸中，
我可要笑了——
我有甜美的墳塋！

——五，十六。

## 一株薔薇花

一株薔薇花，
開放在幽谷，
花紅自己紅，
花笑有誰笑！

幽谷不是肥壤，
有低小的方向；
露珠晚融，

明月來往。

秋後花萎

衰草夕陽。

秋蟲——

低低亂響。

雪片紛飛，

倏變素粧！

昔時紅顏，

今朝面龐！

朝日出了，

白練輕盈；

紅日沒了，

消瘦情景！

來年，

春晴，
放出苞來，
壓倒春風。

——五，十七。

## 蒼老

無聊，
苦；
月光，
月痕，
永留——
古樹，

前進、
進進進！
後退！
退退退，

女子——
霎時間的伴侶！
笑，
前仰後倒。
轉過來——
人生不堪悽涼了！
紹芸，
回家見兵；
我，
接待瘟疫！
蒼老！
蒼老！

——五，廿。

## 半夜

半夜害相思，
明月之下亂跑！
越過牆去，
伏在窗前，
叫起她來，
問個詳細。

——六，十一。

## 赤日下

炎熱的天氣，
她抱着小孩行乞；
頭髮垂在下邊，
裹頭巾垂在下邊。
我回顧着她，
我想到了種種傷心的事，

## 我是

我是厭人主義，
我的黨綱就是不見人。
坐在一塊小石上，
殭！
來了鹿豕羊——
牽着走大荒！

六，十三。

## 憔悴的人生

遭了冰雹之災，
取借沒有相憐的人，
跑到樹下，
耍賬。

六，十四。

母親要弔死，
父親也要弔死，
小孩不知弔死是什麼，
跑到樹下掄繩玩！

大家說斫倒那柯樹好！
大家說斫倒那柯樹可以救人！
但是——
闔家人沒有飯吃，
闔家人受罪沒有邊際。

——六，廿五。

## 劃除土劣歌詞

誰吞了我們的嫩筋？
誰吸了我們的赤血？
土豪！

劣紳！

誰奉迎威嚴的衙門？
誰欺壓我們純潔的平民？
土豪！
劣紳！

軍閥摧殘不足，
貪官汚吏摧殘不足，
本地人來摧殘本地人！
本地人來吸收本地人！

天災人害，
連年頻臨；
剩下少數的罪人，
要受苦都不安穩！

土豪！

劣紳！

## 菜園的老頭兒

一個老頭兒，
拿着噴水壺，
菜畦的東邊，
菜園的半畝。

他已老態龍鍾了，
剛剛走成路；
佝僂着背，
盡心力的東踱西踱！

他不久就能死，
他也沒想到種菜給誰吃。
菜還沒瘦焉能肥，
不用說擺在籃子裏上鍋煑！

澆在了菜，
撥去小蟲兒，
忙完了——
蹲在地上看菜出。

——七，八。

## 你不寂寞

一石，
你不寂寞！
你有天上的星，
你有醜婦的臉，
你有幽仄的小徑，
你有牧童的歌曲。

——七，十。

# 我的小姑娘

（一）

我的小姑娘，
我親愛的小姑娘，
我沒法寫你了，
我叫叫你吧！

極美的處女，
極美的處女，
花一樣的，
小鷄一樣的！

（二）

我的小姑娘，
我親愛的小姑娘，
我沒法叫你了，
我禱禱你罷！

俯首，
心問着你；
俯首，
心問着天地！

——七，十三。

# 他們正在紛論

有人說他是朽的，
有人他當然不朽，
他們正在紛論，
他們正在考究，
這時他伏在一個小棺木裏，
爛了他的肉；
剩下白骨，
爛了白骨，
剛剩下灰絲！

——七，十四。

# 賣狗頭罐子的和他隔鄰的少女

（擬曲）

担着一担狗頭罐，
因此他貿易走他鄉，
到晚回進店家來，
他常好吹吹打打共彈唱。

的確！
他的音韻悠揚，
他的聲調鏗鏘，
他的生活在宇宙是孤單的，
他的音節煞是悽愴！

他高興着儘彈，
他高興着儘唱，
他的伴侶——
是樹上的明月，

屋上的白霜。

他藉此自慰，
他因此自傷，
他不管其餘的一切，
他的對面是皺剝的灰牆。

他更不知灰牆的那邊，
還有位年青的姑娘！
年青的姑娘，
正在獨坐繡房！

她原不懂什麼是音樂，
她更不知誰人在歌唱，
初聽去，
原不覺怎樣；
再聽去，
慌忙了心腸！

她常常放下了她的針黹，
她常常凝准住了她的目光，
她覺得此時不像往常，
有點不像往常！

她想到那人是異樣的可憐，
她想到那人更不是輕狂，
好一齣動人的調子，
這聲音好像出在人心上。

她成了他的同情，
她不關心她自己的形狀，
她僅覺得他啊，
他是天上的玉皇！

他高興着儘彈，
他高興着儘唱，

她？
她病在牀！

她幾次要去看他，
她幾次被人阻擋，
最後她病得要死了，
她覺得臨死前總須會玉皇！

維時店中的老媪，
曉得了她的心情，
看出了她的模樣；
她要儘心介紹他倆，
爲的是可憐人一雙！

老媪走到了歌者的面前，
才告知了此事的眞相；
他現出了奇異的目光，
眞奇異的目光！

他慨然應允，
老媪來將她扶到他的坑上；
她一看便走了——
呀！
歌者原是一隻不全的眼睛，
更加上兩唇開張！

因此她完全好了病，
她還是從前的姑娘；
歌者？
歌者剛病在牀！

他自從覩了知己的芳顏，
他自從看見了天女的下降，
他麻木了一切，
他更忘記了上蒼！

他想，
他細細的想，
她是他的唯一知音，
她是對他眞情的鑑賞。
更加她是那樣的模樣，
那樣的模樣！

他感激她，
他欣羨她，
他不管他的病情，
他只覺他是從八世初降！

慈悲的老媼，
更深痛惜他的情狀，
她說我去看看姑娘，
她說我去看看姑娘。

隔鄰的處女，

聽見了老婦抉出的話囊；
她應允她去一趟，
爲的是從前醫我的「良相」！

不幸的歌者，
姑娘去適在他的昏迷期內；
姑娘坐在她的坑沿上，
默默坐在他的坑沿上！

她一等他不醒，
再等他更不愛再看他的模樣，
她決定做個末了的人情吧，
將自己做的鞋子，
輕輕放在他的枕上！

不幸的歌者，
姑娘走後他竟回復了往常！
人去鞋一雙！

人去鞋一雙！

他眞痛恨到極點了，
他不斷的抓他自己的胸膛；
當他取起鞋子，
淚萬行！

他吻了再吻，
他傷了再傷，
他將鞋子銜在口內，
他的眼睛發出了絕望的光。

他將鞋子咀嚼了多時
他的身體更向後直躺；
這一躺——
魂歸了故鄉！

——七，十五。

# 霜集勘誤表

| 頁 | 行 | 誤 | 正 |
|---|---|---|---|
| 二 | 九 | 我們要要 | 多一要字 |
| 五 | 九 | 句 | 向 |
| 八 | 十四 | 他下 | 加門字 |
| 十九 | 三四行間 | | 應空一行 |
| 卅一 | 六 | 病 | 死 |
| 三十一 | 二 | 抬 | 始 |
| 七十六 | 十一二行間 | | 應空一行 |
| 七十八 | 十一二行間 | | 應空一行 |
| 九十二 | 一 | 是 | 們 |
| 同 | 十 | 女下 | 加騍字 |
| 九十九 | 五 | 來 | 家 |
| 一〇〇 | 十 | 反 | 及 |
| 同 | 同 | 過下 | 加去字 |
| 一〇一 | 六 | 遇到 | 遇了 |
| 一〇三 | 十一 | 急 | 怎 |
| 同 | 十二 | 苦 | 痛 |
| 一一三 | 第二四 | 問 | 向 |
| 同 | 六 | 有人下 | 加說字 |
| 一二七 | 四 | 入 | 人 |
| 同 | 十 | 儘 | 盡 |

一九三一年八月初版

定價五角

著作者 臧亦蘧

發行者 青島書店

印刷者 青島大同印刷公司